la bande des minijusticiers

Une de trop

D'après l'œuvre d'Hélène Bruller et Zep

P'TIT TOME

Albin Michel

Éliette

Mini défaut :
a des grosses
lunettes

Superlunettes

Maxi pouvoir :
avec ses lunettes, elle voit
à travers les murs

Nathan

Mini défaut :
se casse toujours
la figure

Minijusticiers ???

Greg

Mini défaut :
pète tout
le temps

Superprout

Maxi pouvoir :
quand il pète, il fait
des bonds gigantesques

Supergadin

Maxi pouvoir :
il se transforme
en homme caoutchouc

Marion

Mini défaut :
pleurniche
pour un
oui ou pour
un non

Superpleurnicharde

Maxi pouvoir :
ses pleurs provoquent pluie,
orage, éclairs...

Minijusticiers ???

Yvon

Mini défaut :
est haut comme
trois pommes

Supermini

Maxi pouvoir :
il modifie la taille
des objets

⭐ 1 Un papa rien que pour moi

Jade est une véritable princesse. Enfin bon, pas non plus une princesse avec un château, un prince tout nul qui veut l'épouser et un grand cheval blanc toujours propre, même lorsqu'il marche dans la boue… C'est surtout une princesse pour son papa !

En effet, depuis que lui et sa maman se sont séparés, il y a quelque mois, ce papa ne s'est jamais aussi bien occupé de sa fille et ils n'ont jamais passé autant de temps tous les deux.

Avoir son papa rien que pour soi, c'est trop bien…

Et justement, Jade l'attend devant l'école, avec Éliette et Marion qu'elle a invitées chez elle pour le goûter.

– Vous allez trop aimer mon père ! Il est super sympa. D'ailleurs, le voilà qui arrive et qui…

La fillette s'arrête de parler. Son papa…
Il est main dans la main avec une dame !
Mille pensées lui traversent l'esprit :
« Qui c'est celle-là ? », « Pourquoi elle
lui donne la main ? », « Et c'est quoi sa
coiffure trop nulle ? »

– Salut les filles, lance le papa.

– Bonjour, Monsieur, fait Éliette.

– Bonjour, Monsieur, répond Marion.

– Mmmh, grogne Jade.

– Jade, je te présente Géraldine, ma nouvelle amoureuse.

⭐2 Un goûter pas parfait du tout

Chez le papa de Jade, Géraldine a vu les choses en grand : elle a préparé une super tarte aux pommes.

– Whaou ! Elle est délicieuse votre tarte, se régale Éliette.

Marion voudrait bien confirmer, mais elle en a tellement dans la bouche que si elle l'ouvre, ça risque de ne pas être beau à voir. Seule Jade n'a pas touché à son assiette.

– Tu n'as pas faim ? lui demande Géraldine.

– Non. Enfin si, mais la tarte aux pommes, je n'aime pas ça.

– Pourtant, ton papa m'a dit que tu adorais...

– Oui, mais ça, c'était avant ! Je n'aime que les tartes... euh... aux fraises.

Géraldine s'apprête à répliquer, puis finalement ne dit rien. Elle part dans le salon, attristée. Ce n'était pas comme ça qu'elle imaginait sa première journée avec la fille de son amoureux.

Le papa de Jade s'approche doucement de sa fille qui boude toujours.

— Tu sais, Géraldine veut seulement te faire plaisir.

La fillette fronce les sourcils.

— Je n'ai pas besoin qu'elle me fasse plaisir. Je ne lui ai rien demandé d'abord.

– Pourtant, vous pourriez devenir amies et…

– Pour quoi faire ? J'ai déjà plein de copines, je n'ai pas besoin d'elle.

Marion et Éliette se jettent un regard gêné. Le papa soupire.

— Eh bien, tu vas devoir faire des efforts.
Demain, c'est elle qui va te garder toute
la journée.

— Quoi !? dit la fillette en haussant la voix.
Tu ne m'aimes plus !?

En larmes, elle se lève de table et part en
courant.

Le papa lance un regard dépité à Éliette
et Marion.

– Désolé pour le spectacle, les filles. Je
crois que vous feriez mieux de rentrer
chez vous…

Dans sa chambre, Jade pleure sur son lit.

– Je ne veux pas que mon papa aime une autre fille ! Je veux qu'il s'occupe de moi toute seule ! Je vais tout faire pour que Géraldine le quitte ! Elle veut s'occuper de moi demain !? Ça va être la pire journée de sa vie…

– Attends, le coupe Yvon. Ce n'est pas Cendrillon dont tu parles, là ?

– Euh… Ah oui, peut-être, reconnaît Greg, gêné.

– Et encore, c'est une version que je ne connaissais pas ! ajoute Marion.

Puis reprenant son sérieux :

— En tout cas, Géraldine est trop sympa, et je suis sûre qu'en faisant des efforts, Jade pourrait l'adorer. En plus elle fait une super tarte aux pommes...

Éliette se lève.

– Écoutez-moi, il faut absolument qu'on empêche Jade de lui ruiner sa journée, demain.

– Oui, continue Marion. Parce que si elle réussit son coup, Géraldine va quitter son papa et des amoureux qui se séparent, c'est trop triste…

Connaissant la sensibilité de Marion et persuadés que cette dernière tirade va déclencher une averse, tout le monde se couvre la tête… Mais rien ne se passe.

– Hé, détendez vous, dit Marion. Je ne pleure pas. Enfin, si on échoue demain, il faudra penser à prendre vos parapluies.

– Voire nos canots de sauvetage, plaisante Greg.

⭐4 Il faut sauver le soldat Géraldine

Le lendemain, il fait un temps superbe. Jade et Géraldine sont en train de faire de la barque sur l'étang. Les Minijusticiers sont cachés dans un buisson, non loin de là.

– Je n'entends pas ce qu'elles se racontent, chuchote Marion, mais tout a l'air de bien se passer, non ?

Nathan doute.

– Il faut peut-être attendre un peu…

Sur la petite embarcation, Géraldine propose à Jade de ramer.

– Pourquoi pas ? claironne la fillette, un sourire en coin.

Elle donne deux coups de rames, puis… les lâche dans l'eau.

– Oh, je suis désolée, je n'ai pas fait exprès, gémit-elle, faussement innocente.

Géraldine sait très bien que c'est faux, mais décide de garder son calme et son sourire.

– Ce n'est pas grave, quelqu'un va venir nous aider.

Cependant, personne ne passe. Les voilà coincées au beau milieu de l'étang. Heureusement, Marion Super-pleurnicharde se met à pleurer et déclenche une mini tornade qui pousse la barque jusqu'au rivage !

Géraldine n'en revient pas.

– Eh bien, on a eu beaucoup de chance !
Qu'est-ce que tu veux faire maintenant,
Jade ?

– Euh… hésite la fillette, encore étonnée
par ce drôle de phénomène climatique.
Laisse-moi réfléchir… Et si on allait
au skate parc ? Je voudrais bien te voir
essayer ma planche.

Géraldine fait une drôle de tête. Elle n'est jamais montée sur une planche de sa vie, mais accepte le défi.

– Aïe ! s'inquiète Éliette. Si on n'intervient pas sur ce coup-là, il va y avoir du nez cassé…

Et voilà Géraldine, skate aux pieds, en haut d'une rampe immense.

– Allez ! lui dit Jade, moqueuse. C'est facile pourtant… Je viens de le faire.

Géraldine prend une grande inspiration, et avance doucement.

« Bon, je vais fermer les yeux, et on verra bien… »

Heureusement pour elle, Yvon Supermini intervient. « Petit, petit, petit ! » Il réduit la rampe pendant que Géraldine la descend, et lui redonne ensuite sa taille normale. Personne ne s'est rendu compte du tour de passe-passe !

– Tu as vu ça ? J'ai réussi !

– Mouais… Pas mal.

Jade ne veut pas le reconnaître, mais elle doit bien se l'avouer : Géraldine a assuré. Ensuite, sa belle-mère lui propose d'aller au parc d'attractions.

– Oh oui ! J'adore ça ! lâche la fillette, enjouée, avant de se rendre compte de l'erreur qu'elle vient de commettre. Euh… oui, enfin j'aime bien. Enfin, ça va, quoi !

Les Minijusticiers, encorc en filature, ont tout entendu.

– Eh bien, constate Marion, je crois que Jade commence à bien l'aimer…

– C'est vrai qu'elle est super sympa, reprend Greg.

– Mais j'y pense, s'exclame soudain Nathan, le parc d'attractions, il vient de fermer pour travaux !

– Oh non ! comprend Éliette. Quand Jade va savoir ça, elle va devenir trop pénible et en faire voir de toutes les couleurs à Géraldine !

– Non, lance Nathan, car c'est là que les Minijusticiers interviennent…

Et dans un nuage de fumée et d'éclairs, nos mini héros se transforment !

Zimbazin !

⭐ Accès privé

Effectivement, devant l'entrée du parc fermé, Jade n'est pas contente, mais alors pas contente du tout.

– Tu ne pouvais pas te renseigner ? Tu es vraiment nulle !

Désemparée, Géraldine ne sait pas quoi dire.

Planqués derrière un muret, les Minijusticiers paniquent.

— Aïe, il faut trouver une idée et vite, s'exclame Supermini.

Justement, Superprout en a une excel-
lente. Il s'adresse à Superpleurnicharde et
lui annonce d'un ton désespéré :

– Non, c'est fichu. Géraldine va quitter le
père de Jade qui va se retrouver tout seul.
Toute la vie.

Évidemment, Superpleurnicharde éclate en sanglots, provoquant une tempête et un éclair qui vient frapper le tableau électrique du parc… Et tous les manèges se mettent en route, comme par miracle !

– Oh, regarde ! s'étonne Géraldine. On dirait que le parc est finalement ouvert ! On y va ?

– Euh… oui, acquiesce la fillette qui n'en revient pas.

Les filles se dirigent vers l'une des attractions les plus dingues : le grand huit. À peine embarquées, elles partent à la vitesse de l'éclair. Il faut dire qu'avec Superprout comme moteur, ça file à toute allure !

Ensuite, direction le train fantôme. Superprout y laisse un épais nuage vert, et Supergadin, en étirant ses bras, vient toucher la tête de Jade qui hurle de frayeur ! Et ce fantôme qui passe tout près, il est monstrueux ! Si elle savait que c'était encore un coup de Superprout, caché sous un drap…

Les filles sortent de là, mortes de rire. Jade n'ose pas l'avouer, pourtant elle est très contente d'être ici.

– Et si on faisait un tour de grande roue ? propose-t-elle alors.

– Avec plaisir !

Et c'est parti ! La grande roue démarre et tourne… très lentement. Éliette fronce les sourcils.

– C'est un manège pour escargots ou quoi ? Marion, tu ne peux pas faire quelque chose ?

– Si… Mais il faudrait me dire quelque chose d'horrible.

– Comme le fait que tu es dans la bande juste parce que tu es la meilleure copine d'Éliette ? rétorque Greg.

Là encore, il a fait mouche. Il sait parfaitement comment faire pleurer Marion !

Superpleurnicharde fond en larmes, et une énorme tornade s'abat sur la grande roue qui accélère encore et encore... Géraldine est inquiète tout à coup.

– Tu ne trouves pas que ça va un peu vite ?

Jade ne répond pas, elle se jette dans ses bras, morte de peur. En bas, les Minijusticiers se regardent, affolés.

– Arrête, Marion, lance Supergadin, la roue va se décrocher !

En effet, cette dernière vibre dangereusement !

Superprout s'envole et s'accrochant à la roue, essaie de la ralentir, mais c'est trop puissant pour lui ! Heureusement, Supergadin lui vient en aide en étirant ses bras et en s'accrochant à son tour, et enfin Supermini réduit le pylône.

Après bien des efforts, la roue s'immobilise enfin. Les filles sont un peu secouées, mais Jade jubile :

– C'était terrifiant… Mais c'était trop cool !

Sur le chemin du retour, elle prend la main de Géraldine.

– Je suis désolée pour mon comportement, lui dit-elle. Tu as été super avec moi. Je t'aime bien… et je veux bien de ta tarte aux pommes !

⭐6 Que du bonheur !

Au repaire, les Minijusticiers sont satisfaits. Non seulement, ils ont sauvé la journée des filles, mais à présent, Jade adore Géraldine.

– Vous savez, commence Éliette, très émue. Je trouve que plus on partage le bonheur, plus il y en a, vous ne pensez pas ?

S'attendant à une réaction de ses camarades, la fillette les regarde, fière de sa citation.

– Plus on le partage… Plus il y en a… répète Yvon, pensif. Dommage que ça ne marche pas pour les tartes aux pommes !

Tout le monde éclate de rire. Sauf Éliette, un peu vexée.

Tout à coup, Greg regarde l'heure et se
lève d'un bond :

— Je dois y aller, je vais être en retard !

— Que se passe-t-il ? demande Nathan.
Tu as l'air inquiet…

– Pas inquiet, mais un peu stressé. Ce soir, mon père doit me présenter sa nouvelle petite copine…

– Méfie-toi, sourit Marion.

– Euh… De quoi ?

– Qu'elle ne te transforme pas en citrouille à minuit !

Le bonheur,
plus on le
partage, plus
il y en a.

C'est vrai, et c'est ça qui est chouette ! Le bonheur, ce n'est justement pas comme une part de gâteau ou des bonbons. Plus on partage nos joies avec les copains, plus on est heureux !

Collection dirigée par Lise Boëll.

© MMXII Futurikon. Tous droits réservés.
D'après l'œuvre originale d'Hélène Bruller et Zep
Adaptation littéraire : Vincent Costi en collaboration avec Grégory Baranès
Scénario d'Emmanuel Leduc en collaboration avec Grégory Baranès
Adaptation pour Albin Michel : Fabrice Ravier
Publication originale :
© Éditions Albin Michel, S. A., 2013
22, rue Huyghens - 75014 Paris
www.albin-michel.fr

Conception éditoriale : Lise Boëll
Éditorial : Céline Schmitt
Direction artistique : Ipokamp

ISBN 978-2-226-24763-6
Loi n°49-956 du 16 juillet 1949
sur les publications destinées à la jeunesse
Achevé d'imprimer en France par Pollina - L63668B
Dépôt légal : mars 2013